即使是普通的孩子，只要教育得法，也会成为非凡的人。

——【法】爱尔维修

好孩子知识乐园—识汉字

内蒙古人民出版社出版发行

呼和浩特市新城西街 20 号

新华书店经销

湖北省黄石市印刷总厂印刷

2005 年 5 月第 1 版

2005 年 5 月第 1 次印刷

889×1194 毫米　1/24

印数 1—5000 册

ISBN7—204—05022—3/G · 1108

全套定价: 60.00 元(六册)

前 言

　　识字是学前教育不可缺少的一部分,它是宝宝认识事物的基础。为了使你的宝宝能够获得全面的语文知识,本系列书专门为您的宝宝精心编辑了《幼儿版识字》。

　　本书改变了一般语文字典的呆板形式,以一年级语文课本为生字的主要来源,并采用了精美生动的彩色图片,帮助您的宝宝在认物的同时,还可以认识字、理解字义,增加对文字学习的兴趣。此外,书中还包含了每个字的拼音、部首、笔顺、笔画、组词,加 深宝宝对字词的理解,打牢识字的基础。

　　本书无论从内容上,还是从形式上,都努力做到了启发孩子的学习兴趣,使孩子做到完全愉快地去学习。

　　年轻的家长们,假如您的孩子已经接近上学的年龄,希望自己的孩子能够尽早地学到更加正规的知识,为进入学校学习做好有益的铺垫,本书正是您和孩子最好的伙伴。

愿我们的心与你的希望一起腾飞

目录

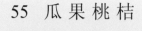

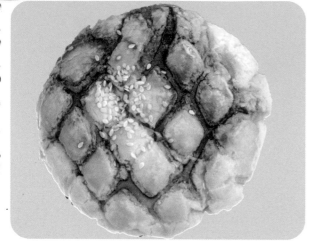

yī	一 部　　　　1 画
	yī yàng　yī qǐ　yī gè 一样　一起　一个
一	一					

èr	二 部　　　　2 画
	èr hú　èr yuè　èr rén 二胡　二月　二人
二	一 二					

sān	一 部　　　　3 画
	sān yuè　sān guó　sān gēng 三月　三国　三更
三	一 二 三					

sì	口 部　　　　5 画
	sì nián　sì jì　sì miàn 四年　四季　四面
四	丨 冂 冂 四 四

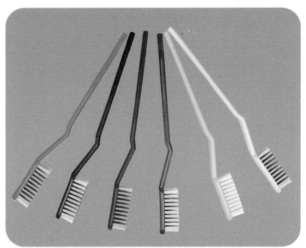

wǔ	`.` 一 部	4 画
	wǔ guān 五官　wǔ yuè 五岳　wǔ gǔ 五谷	
五	一　丆　五　五	

liù	一 部	4 画
	liù qīn 六亲　liù nián 六年　liù tiān 六天	
六	、　一　宀　六	

qī	一 部	2 画
	qī cǎi 七彩　qī sè 七色　qī qiào 七窍	
七	一　七	

bā	八 部	2 画
	bā xiān 八仙　bā guà 八卦　bā miàn 八面	
八	丿　八	

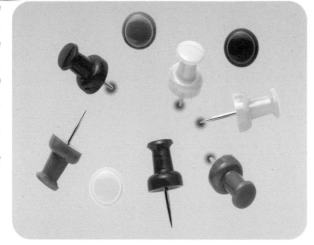
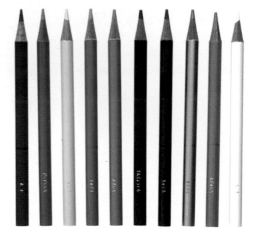

jiǔ	乙部　　　　2画
九	jiǔ zhōu　jiǔ zú　jiǔ xiāo 九州　九族　九宵 ノ　九

shí	十部　　　　2画
十	shí wàn　shí fēn　shí quán 十万　十分　十全 一　十

8

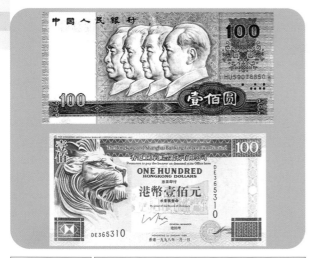

bǎi	一部　　　　6画
百	bǎi xìng　bǎi kē　bǎi bān 百姓　百科　百般 一　丆　丆　百　百　百

qiān	丿部　　　　3画
千	qiān qiū　qiān gǔ　qiū qiān 千秋　千古　秋千 丿　二　千

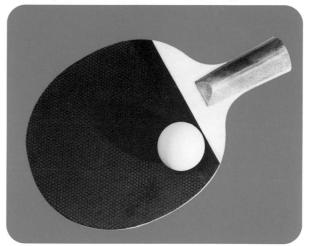

dà	大部　　　　3画
大	dà xiàng　dà jiā　dà hǎi 大象　大家　大海 一　ナ　大

xiǎo	小部　　　　3画
小	xiǎo xīn　xiǎo hái　xiǎo qì 小心　小孩　小气 亅　小　小

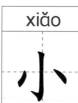

duō	夕部　　　　6画
多	duō yú　duō me　duō kuī 多余　多么　多亏 丿　ク　夕　夕　多　多

shǎo	小部　　　　4画
少	jiǎn shǎo　shǎo xǔ　shǎo shù 减少　少许　少数 亅　小　小　少

shàng	一部　　　　3画		
	shàng chē	shàng bān	shàngmiàn
上	上车	上班	上面
	丨　卜　上		

xià	一部　　　　3画		
	xià lóu	tíng xià	xià qù
下	下楼	停下	下去
	一　丁　下		

zuǒ	一部　　　　5画		
	zuǒ biān	zuǒ lún	zuǒ shǒu
左	左边	左轮	左手
	一　ナ　𠂇　左　左		

yòu	一部　　　　5画		
	yòu tuǐ	yòu miàn	yòu quán
右	右腿	右面	右拳
	一　ナ　オ　右　右		

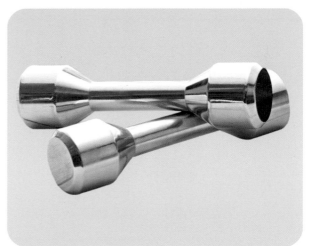

qīng	车部			9 画		
	qīng sōng		qīng biàn		qīng qīng	
	轻松		轻便		轻轻	
轻	一	七	乛	车	轩	轻 轻
	轩	轻				

zhòng	丿部			9 画		
	zhòng shì		zhòng liàng		zhòng diǎn	
	重视		重量		重点	
重	丿	一	广	广	盲	盲 盲
	重	重				

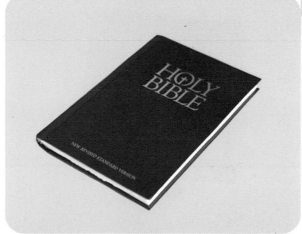

hòu	厂部			9 画		
	hòu dù		hòu ài		shēn hòu	
	厚度		厚爱		深厚	
厚	一	厂	厂	厈	厈	厚 厚
	厚	厚				

báo	艹部			16 画		
	báo bīng		báo bǐng		báo ruò	
	薄冰		薄饼		薄弱	
薄	一	十	艹	艹	芦	芦 芦
	芦	芦	芦	蓮	蓮	蓮 薄

yuǎn	辶 部 7 画
远	yuǎn chù yuǎn fāng yuǎn xíng 远处　远方　远行
	一　二　テ　元　元　远　远

jìn	辶 部 7 画
近	fù jìn jìn lái jìn qī 附近　近来　近期
	一　厂　斤　斤　斤　近　近

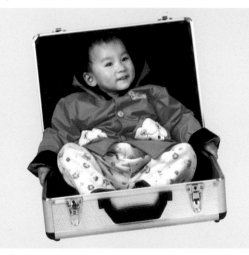

lǐ	里 部 7 画
里	lǐ miàn lǐ tóu zhè lǐ 里面　里头　这里
	丿　口　日　日　旦　甲　里

wài	夕 部 5 画
外	wài mài wài háng wài shāng 外卖　外行　外商
	丿　夕　夕　列　外

fāng	方部　　　　4画		
	fāng xiàng	fāng miàn	fāng xíng
方	方向	方面	方形
	、　　亠　　方　　方		

yuán	口部　　　　10画		
	yuán quān	tuǒ yuán	yuán xíng
圆	圆圈	椭圆	圆形
	丨　门　门　门　冂　冏　冏		
	圆　圆　圆		

cháng	丿部　　　　4画		
	cháng dù	cháng chéng	hěn cháng
长	长度	长城	很长
	丿　一　长　长		

duǎn	矢部　　　　12画		
	duǎn qī	duǎn wén	duǎn quē
短	短期	短文	短缺
	丿　一　一　乍　矢　矢　矢		
	知　知　短　短　短		

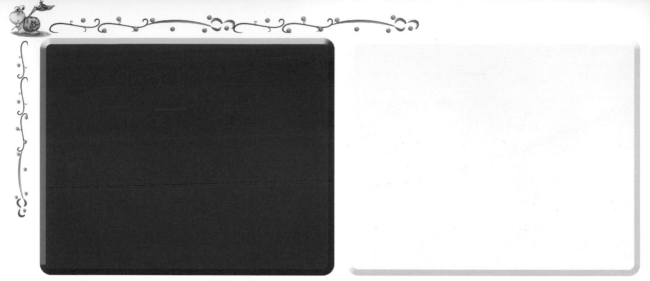

hóng	纟部　　　　6画
	hóng sè　hóng qí　hóngguāng
	红色　红旗　红光
红	乙　纟　纟　纟　纟　红　红

huáng	艹部　　　　11画
	huáng dòu　huáng guā　huáng hé
	黄豆　黄瓜　黄河
黄	一　十　廾　井　芦　苎　昔
	昔　苗　黄　黄

lán	艹部　　　　13画
	lán tiān　lán sè　lán tú
	蓝天　蓝色　蓝图
蓝	一　十　节　艹　艹　艹　艹
	苎　苎　萨　萨　蓝　蓝

lǜ	纟部　　　　11画
	lǜ yè　lǜ huà　lǜ sè
	绿叶　绿化　绿色
绿	乙　纟　纟　纟　纟　纟　纡
	纾　纾　绿　绿

hēi	灬部　　　　12画
	hēi yè　hēi sè　hēi dòng
黑	黑夜　黑色　黑洞
	丶　口　口　囚　四　甲　里
	里　里　黑　黑　黑

bái	白部　　　　5画
	bái jiǔ　bái yǐ　bái sè
白	白酒　白蚁　白色
	丿　亻　白　白　白

chéng	木部　　　　16画
	chéng zi　chéng sè　xiāngchéng
橙	橙子　橙色　香橙
	一　十　才　木　术　杧　杧
	杧　杧　桴　桴　橙　橙　橙

zǐ	糸部　　　　12画
	zǐ sè　fā zǐ　zǐ guāng
紫	紫色　发紫　紫光
	丨　止　止　止　此　此　此
	紫　紫　紫　紫　紫

tīng	口 部	7 画

听

tīng shuō	tīng huà	tīng jiǎng
听说	听话	听讲

丨	冂	口	厅	叮	听	听

shuō	讠 部	9 画

说

shuō huà	shuōmíng	shuōhuǎng
说话	说明	说谎

`	讠	讠	讱	讱	说	说
说	说					

kàn	目 部	9 画

看

kàn tú	kàn shū	guān kàn
看图	看书	观看

一	二	三	手	乔	看	看
看	看					

xiǎng	心 部	13 画

想

xiǎng fǎ	sī xiǎng	xiǎngniàn
想法	思想	想念

一	十	才	木	相	相	相
相	相	相	想	想	想	

kū	口 部 　　　　　10 画
哭	kū nào　dà kū　kū qì 哭闹　大哭　哭泣 丶 丿 口 口 叩 叩 吅 罒 哭 哭

xiào	竹 部 　　　　　10 画
笑	xiào shēng　xiào huà　xiào róng 笑声　笑话　笑容 丿 ⺊ ⺊ 𠂉 竹 竹 竺 竺 竿 笑

xǐ	口 部 　　　　　12 画
喜	xǐ huān　xǐ ài　xǐ jù 喜欢　喜爱　喜剧 一 十 士 吉 吉 吉 吉 吉 壴 壴 喜 喜

nù	心 部 　　　　　9 画
怒	nù qì　fā nù　fèn nù 怒气　发怒　愤怒 乚 乜 女 如 奴 奴 怒 怒 怒

zǒu	走部　　　　7画
走	zǒu lù　xíng zǒu　zǒu sàn 走路　行走　走散 一　十　土　キ　キ　走　走

pǎo	足部　　　　12画
跑	pǎo bù　sài pǎo　táo pǎo 跑步　赛跑　逃跑 丶　丨　口　口　口　尸　足 足　趵　趵　跑　跑

18

pá	爪部　　　　8画
爬	pá xíng　pá chóng　pá shān 爬行　爬虫　爬山 丶　厂　爪　爪　爪　爬 爬

zuò	土部　　　　7画
坐	zuò chē　zuò xià　qǐng zuò 坐车　坐下　请坐 亻　人　从　从　丛　坐　坐

tī	足 部　　　　15 画
踢	tī qiú　　tī dǎ　　tī kāi 踢球　踢打　踢开
	丨 口 口 甲 甲 孒 足 趵 趵 趵 趵 趵 踢 踢

tóu	扌 部　　　　7 画
投	tóu qiú　tóu xiáng　tóu zī 投球　投降　投资
	一 亅 扌 扌 扣 投 投

qí	马 部　　　　11 画
骑	qí mǎ　　qí chē　　qí shì 骑马　骑车　骑士
	丆 马 马 马 马 马 骑 骑 骑 骑 骑

huá	氵 部　　　　12 画
滑	huá xuě　huá tóu　huá dǎo 滑雪　滑头　滑倒
	丶 冫 氵 氵 氿 泪 泪 泪 泪 滑 滑 滑

20

chuī	口 部　　　7 画						
吹	chuī fēng 吹风	chuī niú 吹牛	chuī hào 吹号				
	丶	丶亠	口	叮	吟	吹	

lā	扌 部　　　8 画						
拉	lā chē 拉车	tuī lā 推拉	lā huò 拉货				
	一	十	扌	扌	扩	扩	扚
	拉						

tán	弓 部　　　11 画						
弹	tán qín 弹琴	tán chàng 弹唱	tán kāi 弹开				
	ㄱ	ㄱ	弓	弓'	弓"	弓'	弘
	弹	弹	弹	弹			

chàng	口 部　　　11 画						
唱	chàng gē 唱歌	chàng piàn 唱片	yǎn chàng 演唱				
	丶	丶亠	口	叮	叩	明	唱
	唱	唱	唱	唱			

xǐ	氵部　　　　　9画
	xǐ shǒu　　xǐ zǎo　　xǐ shuā 洗手　　洗澡　　洗刷
洗	丶　氵　氵　沪　汗　泙
	泙　洗

shuā	刂部　　　　　8画
	shuā yá　　shuā xīn　　yìn shuā 刷牙　　刷新　　印刷
刷	⁻　⁻　尸　尸　吊　吊　刷
	刷

sǎo	扌部　　　　　6画
	sǎo dì　　sǎo chú　　qīng sǎo 扫地　　扫除　　清扫
扫	一　扌　扌　扫　扫　扫

yóu	氵部　　　　　12画
	yóu yǒng　　lǚ yóu　　yóu xíng 游泳　　旅游　　游行
游	丶　氵　氵　氵　汸　汸
	汸　汸　游　游　游

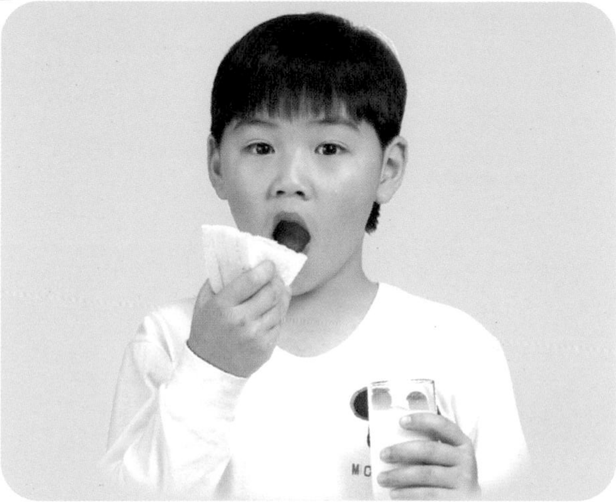

chī	口部　6画					
吃	chī fàn 吃饭	kǒu chī 口吃	xiǎo chī 小吃			
	丨	𠃍	口	口丿	口𠂉	吃

hē	口部　12画						
喝	hē chá 喝茶	yāo hē 吆喝	hē cǎi 喝彩				
	丨	𠃍	口	口丨	口𠃍	口日	口日
	口日	口曰	喝	喝	喝		

cāo	扌部　16画						
操	tǐ cāo 体操	cāo zòng 操纵	cāo chǎng 操场				
	一	十	扌	扌丨	扌口	扌口	扌口
	扌口	扌口	扌品	扌品	操	操	操

xiě	冖部　5画				
写	xiě zì 写字	xiě zuò 写作	shū xiě 书写		
	丶	冖	冖	写	写

nán	田部 7画		
男	nán rén / 男人	nán hái / 男孩	nán shēng / 男生
	丶 冂 口 田 田 罗 男		

nǚ	女部 3画		
女	nǚ rén / 女人	fù nǚ / 妇女	nǚ ér / 女儿
	乙 女 女		

lǎo	老部 6画		
老	lǎo tóu / 老头	lǎo rén / 老人	gǔ lǎo / 古老
	一 十 土 耂 老 老		

yòu	幺部 5画		
幼	yòu ér / 幼儿	yòu miáo / 幼苗	nián yòu / 年幼
	乙 幺 幺 幻 幼		

yé	父部　　　6画
爷	yé ye　lǎo yé　wáng yé 爷爷　老爷　王爷
	′ 八 少 父 爷 爷

nǎi	女部　　　5画
奶	nǎi nai　suān nǎi　nǎi yóu 奶奶　酸奶　奶油
	く 乂 女 奶 奶

bà	父部　　　8画
爸	ā bà　gān bà　lǎo bà 阿爸　干爸　老爸
	′ 八 少 父 爷 爸 爸
	爸

mā	女部　　　6画
妈	mā ma　gū mā　yí mā 妈妈　姑妈　姨妈
	く 乂 女 奵 妈 妈

shū	又 部 8画
叔	biǎo shū　shū shu　shī shū 表叔　叔叔　师叔
	⺊ ⺊ 上 ⺊ 未 未 未
	叔

yí	女 部 9画
姨	yí mā　yí fù　xiǎo yí 姨妈　姨父　小姨
	㇑ 乙 女 女 姐 姐 姐
	姨 姨

gū	女 部 8画
姑	gū niang　gū xī　gū mā 姑娘　姑息　姑妈
	㇑ 乙 女 女 女 姑 姑
	姑

bó	亻 部 7画
伯	bó fù　shì bó　bó jué 伯父　世伯　伯爵
	丿 亻 亻 伫 伯 伯 伯

gē	口 部　　　　　10 画
哥	gē men　dà gē　shuài gē 哥们　大哥　帅哥 一　ᅮ　ᅮ　可　可　可　哥 哥　哥　哥

jiě	女 部　　　　　8 画
姐	jiě jie　xiǎo jiě　kōng jiě 姐姐　小姐　空姐 く　夕　女　如　如　如　姐 姐

dì	丷 部　　　　　7 画
弟	xiōng dì　xiǎo dì　tú dì 兄弟　小弟　徒弟 丶　丷　ᅭ　ᅭ　ᅭ　弟　弟

mèi	女 部　　　　　8 画
妹	ā mèi　jiě mèi　xiǎo mèi 阿妹　姐妹　小妹 く　夕　女　女'　如　妹　妹 妹

nǐ	亻部		7画
你	nǐ men 你们	nǐ hǎo 你好	nǐ de 你的
	丿 亻 亻 伲 你 你 你		

wǒ	一部		7画
我	wǒ men 我们	wǒ liǎ 我俩	zì wǒ 自我
	一 二 丁 手 我 我 我		

tā	女部		6画
她	tā men 她们	tā liǎ 她俩	ràng tā 让她
	ㄑ 女 女 奵 奵 她		

tā	亻部		5画
他	tā men 他们	tā xiāng 他乡	tā liǎ 他俩
	丿 亻 亻 仲 他		

tóu	大部　　　5画
头	tóu fā　tóu nǎo　tóu lǐng 头发　头脑　头领
	、　丶　二　头　头

fā	又部　　　5画
发	fā xíng　fā míng　lǐ fā 发型　发明　理发
	㇜　夕　方　发　发

28

rén	人部　　　2画
人	xíng rén　rén mín　rén wù 行人　人民　人物
	丿　人

mù	目部　　　5画
目	mù guāng　mù dì　mù biāo 目光　目的　目标
	丨　冂　月　目　目

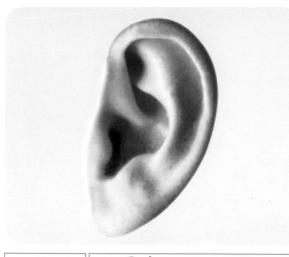

ěr	耳部　　　　6画
耳	ěr huán　ěr duo　ěr jī 耳环　耳朵　耳机
	一 ㄓ ㄇ ㄇ ㅌ 耳

yá	牙部　　　　4画
牙	yá chǐ　yá gāo　yá shuā 牙齿　牙膏　牙刷
	一 二 于 牙

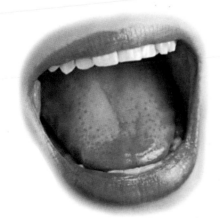

shé	舌部　　　　6画
舌	shé zhàn　shé tou　huǒ shé 舌战　舌头　火舌
	丿 二 千 千 舌 舌

bí	自部　　　　14画
鼻	bí kǒng　bí yīn　bí liáng 鼻孔　鼻音　鼻梁
	丿 丆 ㇆ 白 白 自 自
	畠 畠 畠 畠 畠 鼻 鼻

chūn	日部　　　9画						
春	chūnfēng 春风　chūnguāng 春光　chūn jié 春节						
	一	二	三	夫	夫	夫	春
	春	春					

xià	夂部　　　10画						
夏	xià jì 夏季　huá xià 华夏　xià tiān 夏天						
	一	丆	丆	丙	丙	百	百
	頁	夏	夏				

qiū	禾部　　　9画						
秋	qiū bō 秋波　qiū fēng 秋风　qiū shōu 秋收						
	丿	二	千	千	禾	禾	利
	秒	秋					

dōng	夂部　　　5画						
冬	dōng tiān 冬天　lóngdōng 隆冬　dōng jì 冬季						
	丿	夕	夂	冬	冬		

jiāng	氵部　　　　6画
江	jiāngshān　jiāng nán　chángjiāng 江山　江南　长江 丶　丶　氵　氵　汀　江

hé	氵部　　　　8画
河	huáng hé　hé liú　yín hé 黄河　河流　银河 丶　丶　氵　氵　沪　沪 河

hú	氵部　　　　12画
湖	hú běi　hú bó　hú shuǐ 湖北　湖泊　湖水 丶　丶　氵　氵　汁　汁　沽 沽　浒　湖　湖　湖

hǎi	氵部　　　　10画
海	dà hǎi　hǎi yáng　hēi hǎi 大海　海洋　黑海 丶　丶　氵　氵　汽　海 海　海　海

rì	日 部　　　4 画
	rì zi　rì jì　rì cháng
	日子　日记　日常
日	丨　冂　日　日

yuè	月 部　　　4 画
	yuè jì　míng yuè　yuè bǐng
	月季　明月　月饼
月	丿　刀　月　月

xīng	日 部　　　9 画
	xīng hé　xīng xì　xīng guāng
	星河　星系　星光
星	丨　冂　冂　日　旦　旦　旦
	星　星

yún	二 部　　　4 画
	yún cǎi　bái yún　wū yún
	云彩　白云　乌云
云	一　二　云　云

shān	山部　　　　3画
山	huángshān　shān hé　shānchuān 黄山　山河　山川
	丨　山　山

shí	石部　　　　5画
石	qīng shí　shí kuài　shí yóu 青石　石块　石油
	一　ナ　ブ　石　石

tián	田部　　　　5画
田	tián yě　nóng tián　yóu tián 田野　农田　油田
	丨　冂　冂　用　田

tǔ	土部　　　　3画
土	chén tǔ　tǔ dì　tǔ dòu 尘土　土地　土豆
	一　十　土

fēng	风 部	4 画			
	wēi fēng	tái fēng	fēngguāng		
风	微风	台风	风光		
	ノ	几	凡	风	

yǔ	雨 部	8 画			
	léi yǔ	yǔ sǎn	yǔ xuē		
雨	雷雨	雨伞	雨靴		
	一	厂	厅	币	雨	雨
	雨					

34

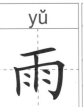

bīng	冫 部	6 画			
	bīng xuě	bīng shuǐ	bīng dòng		
冰	冰雪	冰水	冰冻		
	、	冫	冫	冫	冰	冰

xuě	雨 部	11 画			
	xuě rén	xuě tiān	xià xuě		
雪	雪人	雪天	下雪		
	一	厂	厅	币	雨	雨
	雫	雪	雪	雪		

shuǐ	水部		4画
	shuǐ dào	shuǐ huā	jiāng shuǐ
水	水稻	水花	江水
	亅	刁	水	水		

huǒ	火部		4画
	huǒ miáo	huǒ chái	nù huǒ
火	火苗	火柴	怒火
	丶	丿	少	火		

shǎn	门部		5画
	shǎn diàn	shǎn bì	shǎn guāng
闪	闪电	闪避	闪光
	丶	丨	门	闪	闪	

shā	氵部		7画
	shā mò	fēng shā	shā yǎn
沙	沙漠	风沙	沙眼
	丶	丶	氵	沪	沪	沙	沙

huā	艹 部			7 画		
花	huā ruǐ 花蕊		xiān huā 鲜花		jú huā 菊花	
	一	十	艹	艹	花	花 花

cǎo	艹 部			9 画		
草	cǎo cóng 草丛		cǎo dì 草地		qīng cǎo 青草	
	一	十	艹	艹	节	苩 苩
	草 草					

36

shù	木 部			9 画		
树	shù lín 树林		liǔ shù 柳树		shù yè 树叶	
	一	十	才	木	杉	权 权
	树 树					

yè	口 部			5 画		
叶	shù yè 树叶		chá yè 茶叶		lǜ yè 绿叶	
	丨	口	口	叮	叶	

méi	木部　　　　11画
梅	méi huā　méi yǔ　yáng méi 梅花　梅雨　杨梅 一　十　才　木　杧　杧　杧 梅　梅　梅　梅

lán	丷部　　　　5画
兰	lán cǎo　yù lán　xiāng lán 兰草　玉兰　香兰 丶　丷　兰　兰　兰

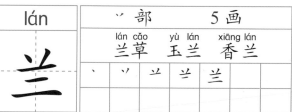

zhú	竹部　　　　6画
竹	zhú sǔn　lǜ zhú　zhú gān 竹笋　绿竹　竹竿 丿　亻　亻　仦　竹　竹

jú	艹部　　　　11画
菊	qiū jú　shǎng jú　jú huā 秋菊　赏菊　菊花 一　十　艹　艹　芍　芍　芍 芍　菊　菊　菊

hào	口部 5画						
号	xiǎo hào 小号	hào shǒu 号手	hào jiǎo 号角				
	丨	𠃍	口	𠮛	号		

gǔ	士部 13画						
鼓	jià gǔ 架鼓	gǔ shēng 鼓声	gǔ lì 鼓励				
	一	十	士	士丨	士𠃍	吉	吉一
	吉丷	壴	壴一	壴十	壴𠂉	鼓	

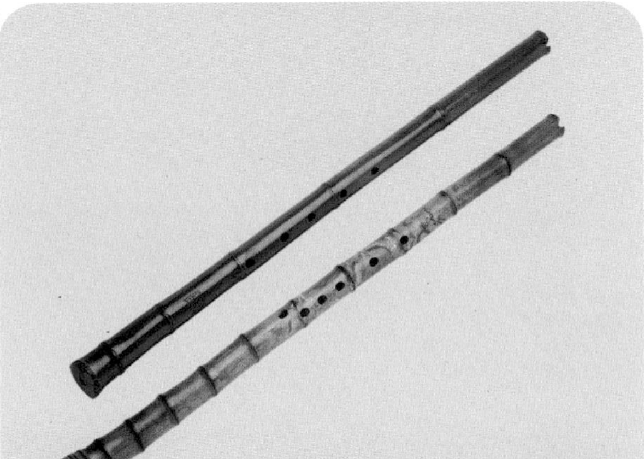

dí	⺮部 11画						
笛	zhú dí 竹笛	dí shēng 笛声	chuī dí 吹笛				
	丿	𠂉	𠂉丶	𠂉𠂉	𠂉𠂉一	⺮	⺮丨
	⺮𠃍	⺮由	⺮田	笛			

luó	钅部 13画						
锣	luó shēng 锣声	luó gǔ 锣鼓	qiāo luó 敲锣				
	丿	𠂉	𠂉一	𠂉二	钅	钅丨	钅冂
	钅罒	钅罒	钅罒	钅罒	钅罗	锣	

qín 琴	王部　　　　12画
	gāng qín　qín shēng　kǒu qín 钢琴　琴声　口琴
	一　二　干　王　王　王　玨
	珏　珏　珡　琹　琴

qí 棋	木部　　　　12画
	wéi qí　qí pán　qí shǒu 围棋　棋盘　棋手
	一　十　才　木　杧　杧　柑
	枓　栁　椹　棋　棋

39

shū 书	乙部　　　　4画
	tú shū　shū kān　shū fǎ 图书　书刊　书法
	ㄱ　乛　书　书

huà 画	凵部　　　　8画
	shū huà　yóu huà　huà xiàng 书画　油画　画像
	一　丆　冂　百　币　面　画
	画

bǐ	竹 部　　　10 画
笔	máo bǐ　　bǐ fǎ　　qiān bǐ 毛笔　　笔法　　铅笔
	ノ　ト　ド　ド　竹　竹　竹
	竺　竺　笔

mò	土 部　　　15 画
墨	mò shuǐ　　mò jìng　　yóu mò 墨水　　墨镜　　油墨
	丨　冂　冂　四　四　甲　里
	里　里　黑　黑　黑　墨　墨

40

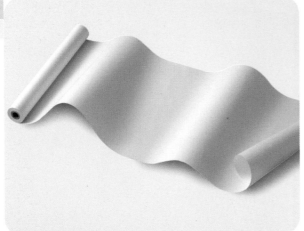

zhǐ	纟 部　　　7 画
纸	bái zhǐ　　bào zhǐ　　xuān zhǐ 白纸　　报纸　　宣纸
	𠃋　纟　纟　纟　红　纤　纸

yàn	石 部　　　9 画
砚	yàn tái　　yàn chí　　shí yàn 砚台　　砚池　　石砚
	一　丆　石　石　石　砚　砚
	砚　砚

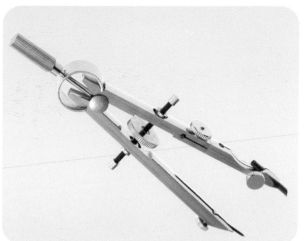

chǐ	尸 部　　　　4 画
	chǐ cùn　chǐ mǎ　jiǎo chǐ
	尺寸　尺码　角尺
尺	ﾌ　ㄱ　尸　尺

guī	见 部　　　　8 画
	yuán guī　guī huà　guī dìng
	圆规　规划　规定
规	一　二　ヺ　ヺ　邽　邽　规
	规

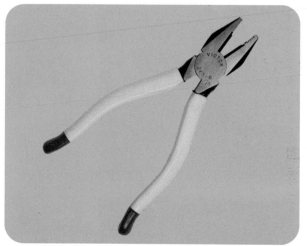

qián	钅部　　　　10 画
	shǒu qián　qián gōng　hǔ qián
	手钳　钳工　虎钳
钳	ノ　ト　ト　ヒ　钅　钅　针
	钳　钳　钳

pái	片 部　　　　12 画
	zhǐ pái　pái fāng　mén pái
	纸牌　牌坊　门牌
牌	ノ　ㄏ　ﾉ　片　片′　片″　牌
	牌　牌　牌　牌　牌

dēng	火 部　　　　6 画
灯	tái dēng　dēng jù　diàn dēng 台灯　灯具　电灯 丶　丿　丷　火　火　灯

sǎn	人 部　　　　6 画
伞	yǔ sǎn　sǎn bīng　jiàng luò sǎn 雨伞　伞兵　降落伞 丿　人　个　伞　伞　伞

42

zhōng	钅 部　　　　9 画
钟	zhōng biǎo　shí zhōng　nào zhōng 钟表　时钟　闹钟 丿　𠂉　𠂉　钅　钅　钊　钊 钊　钟

biǎo	一 部　　　　8 画
表	shǒu biǎo　biǎo xiàn　biǎo yáng 手表　表现　表扬 一　二　𦎫　主　表　表　表 表

shàn	户部　　10画
扇	fēngshàn　ménshàn　zhǐ shàn 风扇　门扇　纸扇
	丶　亅　亠　户　户　户　肩 扇　扇　扇

běn	木部　　5画
本	shū běn　běn lǐng　běn lái 书本　本领　本来
	一　十　才　木　本

43

xiāng	竹部　　15画
箱	zhǐ xiāng　pí xiāng　xiāng zi 纸箱　皮箱　箱子
	ノ　ト　ト　ケ　ケ　竺　竹 竿　笋　笋　箱　箱　箱　箱

hé	皿部　　11画
盒	guǒ hé　yào hé　hé dài 果盒　药盒　盒带
	ノ　八　人　今　合　合　合 合　合　盒　盒

zhuō	木部　　　　10画
桌	kè zhuō　shū zhuō　zhuō yǐ 课桌　书桌　桌椅 丿　丨　卜　占　占　占　卓 卓　桌　桌

yǐ	木部　　　　12画
椅	yǐ zi　zhuàn yǐ　lún yǐ 椅子　转椅　轮椅 一　十　才　木　杧　杧　杧 杧　梼　梼　梼　椅

44

mén	门部　　　　3画
门	dà mén　hòu mén　ménmiàn 大门　后门　门面 丶　丨　门

chuāng	穴部　　　　12画
窗	chuāng lián　chuāng tái　tiān chuāng 窗帘　窗台　天窗 丶　八　宀　宀　宛　宛　宛 窏　窏　窗　窗　窗

bēi	木部　　　　8画
 杯	shuǐ bēi　chá bēi　jiǔ bēi 水杯　茶杯　酒杯
	一　十　才　木　朳　杤　杯 杯

pán	皿部　　　　11画
盘	guǒ pán　suàn pán　cí pán 果盘　算盘　瓷盘
	′　丿　力　舟　舟　舟　舟 舟　舟　盎　盘

píng	瓦部　　　　10画
 瓶	huā píng　píng zi　yào píng 花瓶　瓶子　药瓶
	丶　丷　丷　兰　羊　并　并 瓶　瓶　瓶

hú	士部　　　　10画
壶	chá hú　shuǐ hú　diàn hú 茶壶　水壶　电壶
	一　十　士　吉　吉　壺　壺 壺　壺　壺

wǎn	石部　　　　　13 画
碗	fàn wǎn　　xǐ wǎn　　cí wǎn 饭碗　　洗碗　　瓷碗
	一　丆　石　石　石　石'　矿
	矿　矿　矿　矿　碗　碗

kuài	竹部　　　　　13 画
筷	kuài zi　　mù kuài　　wǎn kuài 筷子　　木筷　　碗筷
	ノ　ト　竹　竹'　竹'　竹'　竹
	竹　竹　竹　笋　筷　筷

46

dāo	刀部　　　　　2 画
刀	dāo jù　　fēi dāo　　cài dāo 刀具　　飞刀　　菜刀
	丁　刀

chā	又部　　　　　3 画
叉	chā chē　　chā zi　　jiāo chā 叉车　　叉子　　交叉
	フ　又　叉

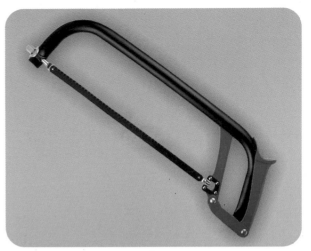

guō	钅部　　　　12 画
锅	tiě guō　huǒ guō　lǚ guō 铁锅　火锅　铝锅
	ノ　╯　╰　⺦　钅　钅　钌
	钌　钌　铝　锅　锅

jù	钅部　　　　13 画
锯	diàn jù　jù chǐ　jù mò 电锯　锯齿　锯末
	ノ　╯　╰　⺦　钅　钌　钌
	钌　铝　铝　铝　锯　锯

47

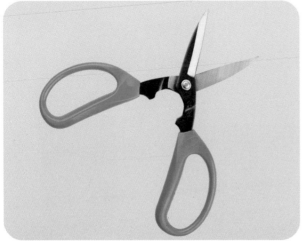

jiǎn	刀部　　　　11 画
剪	jiǎn dāo　jiǎn fā　jiǎn cái 剪刀　剪发　剪裁
	丶　丷　⺗　产　亓　亓　首
	前　前　剪　剪

chuí	钅部　　　　13 画
锤	dīng chuí　tiě chuí　dà chuí 钉锤　铁锤　大锤
	ノ　╯　╰　⺦　钅　钌　钌
	钎　铥　铧　锤　锤　锤

yī	衣部　　　6画
衣	yī liào　　yǔ yī　　yī jià 衣料　雨衣　衣架 丶　亠　亠　㐅　衤　衣

mào	巾部　　　12画
帽	mián mào　lǐ mào　mào yán 棉帽　礼帽　帽沿 丨　冂　巾　忄　忄　忄　帽 忄　帽　帽　帽　帽

xié	革部　　　15画
鞋	pí xié　　xié yóu　xié jiàng 皮鞋　鞋油　鞋匠 一　十　卄　廿　革　革　革 革　革　革　鞋　鞋　鞋　鞋

wà	衤部　　　10画
袜	mián wà　sī wà　cháng wà 棉袜　丝袜　长袜 丶　㇇　衤　衤　衤　衤 袜　袜　袜

chuáng	广部　　　　　7画
床	chuáng tóu　chuáng dān　chuáng pù 床头　床单　床铺
	丶　亠　广　广　广　庄　床

bèi	衤部　　　　　10画
被	huā bèi　bèi tào　mián bèi 花被　被套　棉被
	丶　ㄱ　ㄱ　衤　衤　衤　衤 衤　衤　被

zhěn	木部　　　　　8画
枕	zhěn tou　zhěn mù　zhěn tào 枕头　枕木　枕套
	一　十　才　木　术　术　枕 枕

kù	衤部　　　　　12画
裤	xī kù　kù jiǎo　duǎn kù 西裤　裤角　短裤
	丶　ㄱ　ㄱ　衤　衤　衤　衤 衤　衤　衤　裤　裤

yān	火 部		10 画
烟	xī yān	yān mín	yān wù
	吸烟	烟民	烟雾
	` ｊ 丬 火 灯 炀		
	炘 炘 烟		

jiǔ	氵 部		10 画
酒	pí jiǔ	jiǔ jīng	hē jiǔ
	啤酒	酒精	喝酒
	丶 丶 氵 汀 汀 沥 沔		
	洒 洒 酒		

50

táng	米 部		16 画
糖	bīng táng	hóng táng	táng guǒ
	冰糖	红糖	糖果
	丶 丶 丷 半 米 米 米		
	粐 粐 粐 粙 糖 糖 糖		

chá	艹 部		9 画
茶	chá shuǐ	hóng chá	chá yè
	茶水	红茶	茶叶
	一 十 艹 艾 艾 茶 茶		
	茶 茶		

suān	酉 部		14 画			
	suān méi 酸梅	suān nǎi 酸奶		xīn suān 辛酸		
酸	一	厂	厅	丙	西	酉
	酉'	酉✓	酵	酵	酸	酸	酸

tián	舌 部		11 画			
	tián tóu 甜头	tián mì 甜蜜		tián měi 甜美		
甜	'	二	千	千	舌	舌	舌
	甜	甜	甜	甜			

51

kǔ	艹 部		8 画			
	kǔ tóu 苦头	kǔ lì 苦力		kǔ xiào 苦笑		
苦	一	艹	艹	芏	苦	苦	苦
	苦						

là	辛 部		14 画			
	là jiāo 辣椒	dú là 毒辣		là mèi 辣妹		
辣	丶	亠	立	立	亲	亲
	亲	亲	辣	辣	辢	辣	辣

mǐ	米 部			6 画		
	dà mǐ 大米		mǐ fàn 米饭		nuò mǐ 糯米	
米	丶	丷	丷	半	半	米

miàn	一 部			9 画		
	miàn fěn 面粉		miàn jī 面积		liǎn miàn 脸面	
面	一	丆	厂	丆	而	而	面
	面	面				

52

fàn	饣 部			7 画		
	fàn cài 饭菜		xī fàn 稀饭		fàn liàng 饭量	
饭	丿	𠂇	饣	饣	饣	饭	饭

cài	艹 部			11 画		
	shū cài 蔬菜		cài huā 菜花		mài cài 卖菜	
菜	一	十	艹	艹	苙	苙	苙
	茾	荜	芟	菜		

gāo	米部			16画			
糕	gāo diǎn 糕点		xuě gāo 雪糕		dàn gāo 蛋糕		
	丶	丷	丷	半	米	米	米
	粘	粘	粘	粘	糕	糕	糕

bǐng	饣部			9画			
饼	bǐng gān 饼干		yuè bǐng 月饼		dà bǐng 大饼		
	丿	𠂉	饣	饣	饤	饫	饦
	饼	饼					

53

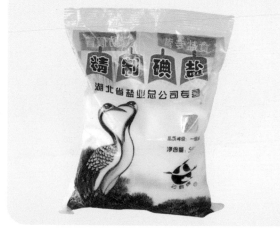

cù	酉部			15画			
醋	chén cù 陈醋		chī cù 吃醋		cù guàn 醋罐		
	一	厂	厅	西	西	西	酉
	酉	酌	酤	醋	醋	醋	醋

yán	皿部			10画			
盐	shí yán 食盐		yán pù 盐铺		yán yùn 盐运		
	一	十	土	𰯬	扑	扑	盐
	盐	盐	盐				

cōng	艹部　　　　12画
葱	*yángcōng* 洋葱　*cōng huā* 葱花　*cōng yè* 葱叶
	一　丷　艹　艹　芀　芀　芴
	芴　莴　葱　葱　葱

jiāng	女部　　　　9画
姜	*jiāngtāng* 姜汤　*shēngjiāng* 生姜　*jiāng huā* 姜花
	丶　丷　丷　兰　羊　羊　美
	姜　姜

ròu	肉部　　　　6画
肉	*shòu ròu* 瘦肉　*niú ròu* 牛肉　*guǒ ròu* 果肉
	丨　冂　冂　内　肉　肉

dàn	虫部　　　　11画
蛋	*dàn huáng* 蛋黄　*huài dàn* 坏蛋　*niǎo dàn* 鸟蛋
	一　丆　丆　疋　疋　疋　吞
	吞　蛋　蛋　蛋

guā	瓜部　　　　　5画
瓜	xiāng guā　　guā pí　　xī guā 香瓜　瓜皮　西瓜
	一　厂　瓜　瓜　瓜

guǒ	木部　　　　　8画
果	guǒ ròu　　guǒ pí　　píng guǒ 果肉　果皮　苹果
	丨　口　日　旦　旦　甲　果
	果

55

táo	木部　　　　　10画
桃	táo huā　　táo shù　　mì táo 桃花　桃树　蜜桃
	一　十　才　木　利　利　利
	桃　桃　桃

jú	木部　　　　　10画
桔	jú pí　　gān jú　　jú shù 桔皮　柑桔　桔树
	一　十　才　木　杧　杜　杜
	桔　桔　桔

xìng	木部		7画
	xìng huā	xìng rén	xìng huáng
	杏花	杏仁	杏黄
杏	一 十 才 木 木 杏 杏		

zǎo	一部		8画
	zǎo shù	suān zǎo	zǎo hé
	枣树	酸枣	枣核
枣	一 丆 冂 市 朿 束 束		
	枣		

lí	木部		11画
	lí yuán	lí huā	xuě lí
	梨园	梨花	雪梨
梨	一 二 千 千 禾 利 利		
	利 梨 梨 梨		

shì	木部		9画
	shì bǐng	shì zi	xī hóng shì
	柿饼	柿子	西红柿
柿	一 十 才 木 木 杧 柿		
	柿 柿		

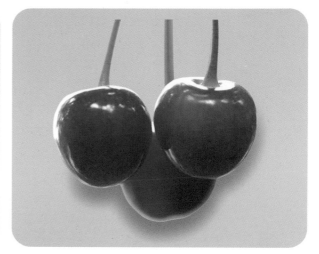

jiāo	艹 部			15 画			
蕉	xiāng jiāo 香蕉		jiāo pí 蕉皮		měi rén jiāo 美人蕉		
	一	十	节	产	芹	芹	芹
	苯	芢	芢	蕉	崔	蕉	蕉

yīng	木 部			15 画			
樱	yīng huā 樱花		yīng táo 樱桃		yīng shù 樱树		
	一	十	扌	木	朾	朾	朾
	朾	棢	棢	櫻	樱	樱	樱

kuí	艹 部			12 画			
葵	kuí huā 葵花		xiàng rì kuí 向日葵				
	一	十	节	芍	芍	苂	葵
	苂	苂	葵	葵	葵		

gū	艹 部			11 画			
菇	mó gu 蘑菇		dōng gu 冬菇		xiāng gū 香菇		
	一	十	节	芯	芒	芐	芐
	姑	姑	菇	菇			

dòu	一 部			7 画		
豆	huáng dòu 黄豆	dòu jiāng 豆浆		dòu fu 豆腐		
	一	丶	戸	豆	百	豆

bāo	艹 部			8 画		
苞		bāo gǔ 苞谷		bāo mǐ 苞米		
	一	十	艹	艹	艻	芍
苞						

58

suàn	艹 部			13 画		
蒜	suànmiáo 蒜苗		dà suàn 大蒜		suàn tóu 蒜头	
	一	十	艹	艹	芏	芌	芋
	荢	荢	荓	荮	蒜	蒜

qié	艹 部			8 画		
茄			qié zi 茄子			
	一	十	艹	艻	茄	茄	茄
茄						

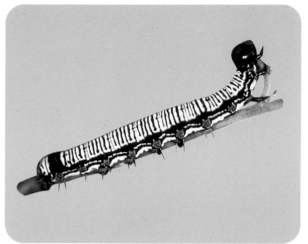

niǎo	鸟部　　　5画
鸟	niǎo lèi　niǎo dàn　huǒ niǎo 鸟类　鸟蛋　火鸟
	′　ク　ㄅ　鸟　鸟

chóng	虫部　　　6画
虫	kūn chóng　hài chóng　huángchóng 昆虫　害虫　蝗虫
	、　口　口　中　虫　虫

yú	鱼部　　　8画
鱼	lǐ yú　shā yú　yú ròu 鲤鱼　鲨鱼　鱼肉
	′　ク　ク　乌　乌　角　鱼
	鱼

shòu	⏜部　　　11画
兽	yě shòu　guàishòu　shòu yī 野兽　怪兽　兽医
	′　丷　丷　⺌　尚　畄
	曽　単　兽　兽

xiàng	⺈部　　　　11画
象	dà xiàng　xiàng yá　xiàngzhēng 大象　象牙　象征 ⺈　⺈　⺈　⺈　⺈　⺈　⺈ ⺈　象　象　象

shī	犭部　　　　9画
狮	shī hǒu　xióng shī　shī wáng 狮吼　雄狮　狮王 丿　犭　犭　犭　狮　狮　狮 狮　狮

60

hǔ	虍部　　　　8画
虎	lǎo hǔ　hǔ kǒu　měng hǔ 老虎　虎口　猛虎 ⺊　⺊　上　虍　虍　虎　虎 虎

bào	犭部　　　　10画
豹	liè bào　hēi bào　xuě bào 猎豹　黑豹　雪豹 丿　⺈　豸　豸　豸　豸 豸　豹　豹

xióng	灬 部		14 画
熊	hēi xióng 黑熊	zōngxióng 棕熊	xióngmāo 熊猫
	㇒ ㄙ ㇒ 自 自 自 自		
	能 能 能 能 能 能 熊		

láng	犭 部		10 画
狼	láng qún 狼群	láng shǒu 狼首	yě láng 野狼
	㇒ 犭 犭 犭 犭 犭 犭		
	狼 狼 狼		

61

hú	犭 部		8 画
狐	hú li 狐狸	hú yí 狐疑	hú chòu 狐臭
	㇒ 犭 犭 犭 狐 狐 狐		
	狐		

hóu	犭 部		12 画
猴	hóu wáng 猴王		mí hóu táo 猕猴桃
	㇒ 犭 犭 犭 犭 犭 犭		
	犷 犷 犭 猴 猴		

mǎ	马 部　　　　3 画
马	mǎ chē　jùn mǎ　mǎ nián 马车　骏马　马年
	フ　马　马

niú	牛 部　　　　4 画
牛	huáng niú　niú nǎi　niú ròu 黄牛　牛奶　牛肉
	ノ　ト　二　牛

62

yáng	羊 部　　　　6 画
羊	yáng gāo　mù yáng　yáng ròu 羊羔　牧羊　羊肉
	丶　丷　兰　兰　兰　羊

lú	马 部　　　　7 画
驴	máo lú　lú liǎn　lú zi 毛驴　驴脸　驴子
	フ　马　马　马'　驴'　驴'　驴

māo	犭部			11 画				gǒu	犭部			8 画		
	māo mī 猫咪		māo yǎn 猫眼		māo tóu yīng 猫头鹰				gǒu ròu 狗肉		gǒu shí 狗食		gǒu tuǐ 狗腿	
猫	ノ	犭	犭	犭	犭	猫	猫	狗	ノ	犭	犭	犭	犳	狗
	猫	猫	猫	猫					狗					

tù	𠔼部			8 画				zhū	犭部			11 画		
	tù máo 兔毛		yě tù 野兔		tù ròu 兔肉				zhū ròu 猪肉		xiǎo zhū 小猪		zhū tóu 猪头	
兔	ノ	𠂊	𠂊	免	色	兔	兔	猪	ノ	犭	犭	犭	犭	犳
	兔								猪	猪	猪	猪		

jī	鸟部　　　　7 画
鸡	jī ròu　　gōng jī　　jī dàn 鸡肉　　公鸡　　鸡蛋
	ㄱ　ㄨ　ㄨˊ　ㄨˇ　ㄨˇ　鸡　鸡

yā	鸟部　　　　10 画
鸭	yā shé　　yā róng　　yā zi 鸭舌　　鸭绒　　鸭子
	ㄧ　ㄇ　ㄖ　甲　甲′　甲ノ 甲ノ　鸭　鸭

64

é	鸟部　　　　12 画
鹅	bái é　　é dàn　　tiān é 白鹅　　鹅蛋　　天鹅
	′　二　于　扌　扗　我　我 我′　我ノ　我ノ　鹅　鹅

gē	鸟部　　　　11 画
鸽	gē zi　　xìn gē　　gē ròu 鸽子　　信鸽　　鸽肉
	ノ　ハ　ゲ　仝　合　合　合′ 合ノ　合ノ　鸽　鸽

yīng	广部		18 画
	xióng yīng	lǎo yīng	yīng gōu
	雄鹰	老鹰	鹰钩
鹰	丶 亠 广 广 广 庐 庐		
	庐 庐 庐 庐 膺 膺 鹰		

què	少部		11 画
	má què	què bān	niǎo què
	麻雀	雀斑	鸟雀
雀	丨 丬 小 少 少 乍 乍		
	乍 雀 雀 雀		

65

yàn	灬部		16 画
	yàn zi	yàn wō	hǎi yàn
	燕子	燕窝	海燕
燕	一 十 廿 廿 芒 苩 莊		
	莊 莊 莊 莊 燕 燕 燕		

yā	鸟部		9 画
	wū yā	yā piàn	
	乌鸦	鸦片	
鸦	一 二 于 牙 牙 豸 豸		
	鸦 鸦		

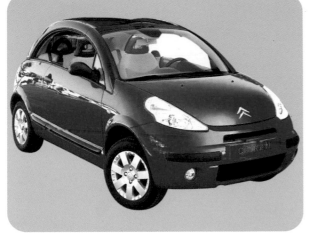

chē	车 部　　　4 画
	qì chē　chē kù　xiū chē
车	汽车　车库　修车
	一　㇀　㇆　车

chuán	舟 部　　　11 画
	kè chuán　chuáncāng　chuánzhǎng
船	客船　船仓　船长
	′　丿　丿　舟　舟　舟　舟
	舟　舟　船　船

66

fēi	飞 部　　　3 画
	fēi jī　fēi xíng　fēi xiáng
飞	飞机　飞行　飞翔
	㇆　飞　飞

jī	木 部　　　6 画
	jī huì　jī zhǎng　jī guān
机	机会　机长　机关
	一　十　才　木　机　机

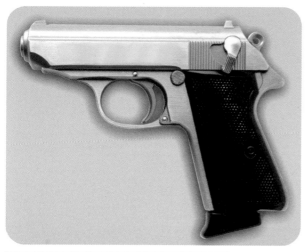

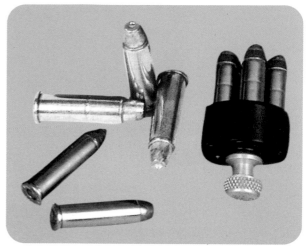

qiāng	木部					8画		
枪	jī qiāng 机枪		qiāngshǒu 枪手		chōngfēngqiāng 冲锋枪			
	一	十	才	木	朴	朴	朴	枪
	枪							

dàn	弓部					11画		
弹	zǐ dàn 子弹		dàn gōng 弹弓		pào dàn 炮弹			
	丶	丶	弓	弓	弓'	弓'	弓''	
	弹	弹	弹	弹				

tǎn	土部					8画		
坦	tǎn kè 坦克		píng tǎn 平坦		tǎn dàng 坦荡			
	一	十	土	圠	坦	坦	坦	
	坦							

jiàn	舟部					10画		
舰	xún yáng jiàn 巡洋舰		jiàn kōng mǔ jiàn 舰空母舰					
	丶	丿	门	舟	舟	舟	舢	
	舢	舢	舰					

lù	足部　　　　13画
路	dào lù　lù miàn　mǎ lù 道路　路面　马路 丶　冂　冂　冏　冏　貝　趵 趴　趵　跻　跻　路　路

qiáo	木部　　　　10画
桥	dà qiáo　shí qiáo　qiáo liáng 大桥　石桥　桥梁 一　十　才　木　柠　柠　柠 柧　桥　桥

68

lóu	木部　　　　13画
楼	lóu fáng　gāo lóu　jiǔ lóu 楼房　高楼　酒楼 一　十　才　木　术　杧　杧 杵　杵　林　楼　楼　楼

tǎ	土部　　　　12画
塔	shuǐ tǎ　bǎo tǎ　hóng tǎ 水塔　宝塔　红塔 一　十　土　圵　圹　圹　圹 圫　圫　塔　塔　塔

fáng	户 部　　　　8 画
	fáng wū　　shū fáng　　fáng dōng 房屋　书房　房东
房	、　 ﾟ　 ﾕ　户　户　户　房
	房

shì	宀 部　　　　9 画
	qǐn shì　　huà shì　　gōng zuò shì 寝室　画室　工作室
室	、　 丷　宀　宀　宀　宀　宀
	宊　室

69

tīng	厂 部　　　　4 画
	kè tīng　　tīng táng 客厅　厅堂
厅	一　厂　厅　厅

tī	木 部　　　　11 画
	jiē tī　　tī tián　　tī xíng 阶梯　梯田　梯形
梯	一　十　才　木　术　杧　杧
	杩　梍　梯　梯

学前 400 字

bà	mā	wǒ	dà	mǐ	tǔ	dì	mǎ	gē	huā	dì	gè	huà	xià
爸	妈	我	大	米	土	地	马	哥	花	弟	个	画	下

xǐ	yī	fú	jī	zuò	guò	le	bù	lè	chū	dú	shū	qí	chē
洗	衣	服	鸡	做	过	了	不	乐	出	读	书	骑	车

de	huà	nǐ	tā	shuǐ	bái	pí	zǐ	zài	xiǎo	ài	chī	yú	hé
的	话	你	他	水	白	皮	子	在	小	爱	吃	鱼	和

niú	cǎo	hǎo	jiā	fēi	jī	yǒu	ér	hé	rù	xiào	shān	tián	zuǒ
牛	草	好	家	飞	机	有	儿	河	入	校	山	田	左

piàn	yòu	fēng	yún	tā	lǎo	shī	wén	duǒ	é	tiáo	yǔ	tiān	qiáo
片	右	风	云	她	老	师	文	朵	鹅	条	雨	天	桥

yī	èr	sān	lǐ	sì	wǔ	liù	qī	bā	jiǔ	shí	qù	kǒu	ěr
一	二	三	里	四	五	六	七	八	九	十	去	口	耳

mù	yáng	niǎo	tù	rì	yuè	huǒ	mù	hé	zhú	shā	fā	bào	zhǐ
目	羊	鸟	兔	日	月	火	木	禾	竹	沙	发	报	纸

tái	dēng	diàn	shì	wǎn	shàng	sòng	guǒ	xiào	yě	dǎ	qiú	bá	pāi
台	灯	电	视	晚	上	送	果	笑	也	打	球	拔	拍

tiào	gāo	pǎo	bù	zú	xiǎng	kè	zhēn	shēn	tǐ	yuǎn	sè	jìn	tīng
跳	高	跑	步	足	响	课	真	身	体	远	色	近	听
wú	shēng	chūn	hái	rén	lái	jīng	duì	shuō	shì	yè	yuán	xià	qiū
无	声	春	还	人	来	惊	对	说	是	叶	圆	夏	秋
xuě	dù	jiù	dōng	pái	zhōng	yóu	liú	chàng	liǎng	àn	shù	miáo	lù
雪	肚	就	冬	排	中	游	流	唱	两	岸	树	苗	绿
jiāng	nán	nǎ	zuò	fáng	piāo	liàng	qīng	mén	chuāng	xiāng	wū	yào	mén
江	南	哪	座	房	漂	亮	青	门	窗	香	屋	要	们
yé	kē	dào	gěi	chuān	nuǎn	lěng	kāi	sǎn	rè	jìng	yè	chuáng	guāng
爷	棵	到	给	穿	暖	冷	开	伞	热	静	夜	床	光
jǔ	tóu	wàng	dī	gù	xiāng	chuán	wān	zuò	zhǐ	kàn	jiàn	shǎn	xīng
举	头	望	低	故	乡	船	弯	坐	只	看	见	闪	星
lán	yáng	xiàng	jīn	yě	gēng	miàn	cháng	zǎo	chén	lā	jìn	shuí	yǐng
蓝	阳	像	金	野	更	面	长	早	晨	拉	进	谁	影
qián	hòu	cháng	gēn	zhe	hēi	gǒu	tā	péng	yǒu	bǐ	wěi	bā	duǎn
前	后	常	跟	着	黑	狗	它	朋	友	比	尾	巴	短
bǎ	hóu	sōng	shǔ	biǎn	zuì	gōng	yā	huáng	māo	xìng	táo	píng	hóng
把	猴	松	鼠	扁	最	公	鸭	黄	猫	杏	桃	苹	红
biān	duō	shǎo	qún	kē	duī	shāng	cháng	bāo	nǎi	yá	máo	jīn	bǐ
边	多	少	群	颗	堆	商	场	包	奶	牙	毛	巾	笔
chǐ	zuò	yè	běn	dōng	xī	cài	yuán	dòu	jiǎo	luó	bo	xīn	xì
尺	作	业	本	东	西	菜	园	豆	角	萝	卜	心	细

yòu	zhuō	mí	cáng	zuǐ	yuè	míng	xiān	chén	jiān	miè	lì	nán	xiū
又	捉	迷	藏	嘴	越	明	鲜	尘	尖	灭	力	男	休

shǒu	lín	sēn	cóng	zhòng	xiǎng	gào	sù	lù	néng	zǒu	běi	jīng	chéng
手	林	森	从	众	想	告	诉	路	能	走	北	京	城

ān	guǎng	shēng	qí	diǎn	shù	qīng	cǎi	piāo	luò	bàn	kōng	wèn	huí
安	广	升	旗	点	数	清	彩	飘	落	半	空	问	回

dá	fāng	píng	dā	jiān	zhè	xiē	dōu	zhù	ne	ā	méi	hěn	zì
答	方	平	搭	间	这	些	都	住	呢	啊	没	很	自

jǐ	ba	nín	dài	ma	shēn	xué	huì	nà	jǐng	měi	cì	guā	yàn
己	吧	您	带	吗	深	学	会	那	景	美	次	瓜	燕

shén	me	yàng	de	zài	kě	zǐ	xìng	xiàn	zhǎo	shēng	páng	zhòng	xǔ
什	么	样	得	再	可	仔	兴	现	找	生	旁	种	许

gé	wài	yàn	ya	měi	yán	yǔ	la	méi	yòng	jǐ	chéng	wā	wèi
格	外	艳	呀	每	言	语	啦	梅	用	几	成	蛙	为

cān	jiā	dòng	shuì	fàng	bù	xióng	kuài	zěn	fàn	bān	ná	zhèng	lǐ
参	加	洞	睡	放	布	熊	快	怎	饭	班	拿	正	礼

wù	jīn	hái	ràng	qǐ	wán	wǎng	jué	shāo	zhī	dào	huà	kǎn	zào
物	今	孩	让	起	玩	往	觉	烧	知	道	化	砍	造

mǎn	shě	jié	nián	zhí	dòng	shù	lì
满	舍	结	年	直	动	束	丽